CÚ

1 COSANTÓIR

PAUL BOLGER
BARRY DEVLIN

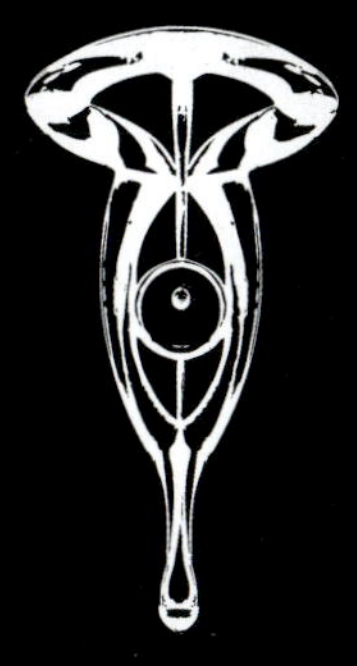

Do Mary, Joe agus Katie

Scríbhneoir & Ealaíontóir: Paul Bolger
Comhscríbhneoir: Barry Devlin

Eagarthóir: Hugh Welchman
Dearthóir Lógó agus Leabhair: Fran Walsh
Litreoir: Dee Cunniffe

www.leabharbreac.com

ISBN 978-1-909907-99-7

Clóchur: Caomhán Ó Scolaí
Clódóireacht: W&G Baird

An Chomhairle um Oideachas
Gaeltachta & Gaelscolaíochta

Tá Leabhar Breac buíoch den Chomhairle um Oideachas Gaeltachta agus Gaelscolaíochta as maoiniú a chur ar fáil don leabhar seo.

Tugann Foras na Gaeilge tacaíocht airgid do Leabhar Breac

Tugann an Chomhairle Ealaíon tacaíocht airgid do Leabhar Breac

Ach maidir liomsa, a scríobh an scéal nó an finscéal seo,
ní chreidim sna heachtraí a insítear ann.

Níl i roinnt den chur síos ach cur i gcéill na ndeamhan,
samhlaoidí na bhfilí cuid eile de;
cuid de dóchúil, cuid eile neamhdhóchúil,
agus cuid eile fós a scríobhadh chun fir bhaotha a shásamh.

An Leabhar Laighneach

T
I
O
D
NA HOILEÁIN THIAR
50 RCH
AGUS IOLAR
NA RÓIMHE AG
LEATHADH A
SCIATHÁN THAR
AN EORAIP
AN tOILEÁN
SCITHEANACH
D'FHAN DHÁ OILEÁN
SAOR ÓNA SMACHT,
OILEÁN NA HÉIREANN
AGUS AN tOILEÁN
SCITHEANACH.
ALBA
EAMHAIN
MHACHA
DÚN CHONCHÚIR
CRUACHAIN
DÚN MHÉIBHE
BRÚ NA
BÓINNE
SASANA
ÉIRE
AN
BHREATAIN
BHEAG
SAOR, AGUS DÍLIS
DÁ MBEALAÍ AGUS
DÁ NDÉITHE FÉIN.
IMPIREACHT
NA RÓIMHE

Roimh an seanchas, bhí an miotas ann — nó sin a deir na saoithe.

Ach an raibh siad ann? An bhfaca siad?

Ní fhaca ... ach chonaic mise!

Agus cad is fírinne ann ach an chuimhne curtha as a riocht.

Na céadta bliain sular éirigh an Róimh, d'fhulaing an tír seo, Éire, ionradh i ndiaidh a chéile.

Bhí mo mhuintirse, lucht leanúna Danann, ar na chéad daoine anseo.

Tar éis do dheich nglúin teacht slán, fuair an phlá an ceann is fearr orainn.

Le hos cionn míle bliain, thrasnaíomar an domhan seo agus Domhan na Sí, ag cur lenár n-eolas agus lenár gcumas draíochta.

Tuirseach den taisteal agus den tsíorchoimhlint le himpireachtaí an Domhain Thoir, sheolamar go hoileán ár sinsear, agus fuaireamar an t-oileán beannaithe foirgthe le Fir Bolg — feirmeoirí suaracha a bhain slí bheatha bhocht as an talamh.

Bhí sé ina mharbhsháinn eadrainn, nó gur iarr siad comhrac aonair. Chuaigh ár rí Nuada in aghaidh a rí siúd, Sreang, agus chaill sé a lámh. Agus máchail air, ní fhéadfadh Nuada an tír ar fad a rialú, agus thángamar ar réiteach leo. Shocraíomar ar an tír a roinnt eadrainn, na Fir Bolg sna machairí agus muidne ar an sliabh. Bhí síochán i réim.

Bhí iothlainn déanta acu de chruach na Mór-Ríona, agus buaillí de na liosanna. Fiú tar éis dóibh ár longa a fheiceáil, thug siad ár ndúshlán i Maigh Tuireadh. Agus gan acu ach a dtuanna cloiche agus a gcrógacht, d'éirigh leo muid a stopadh an lá sin.

Le himeacht aimsire, chailleamar ár gcumas troda.
D'íocamar go daor as nuair a sheol Clanna Míle chugainn aneas as an nGailís, agus tháinig siad aniar aduaidh orainn.
Níor throid aon dá arm anseo ó chúlaíomar féin faoin lios.
Is mé an duine deireanach de mo chine.

Agus táimse ag fáil bháis.

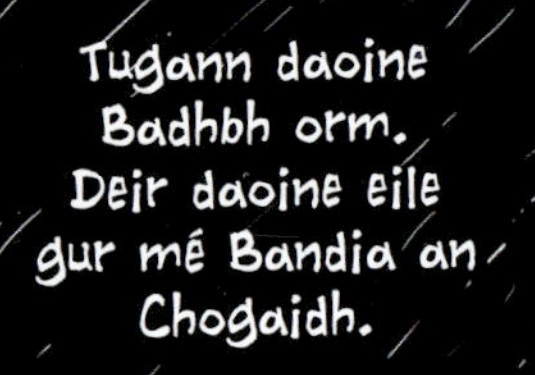

Tugann daoine Badhbh orm. Deir daoine eile gur mé Bandia an Chogaidh.

Tugann mo mhuintir féin an Mhór-Ríon orm.

Ach táim bréan den saol seo ina gceansaíonn cúnna mic tíre ... agus arbh í an onóir an rí.

CÚIGE ULADH....
I NDÚN RÍOGA CHONCHÚIR IN EAMHAIN MHACHA....
TÁ DO NIA LÁIDIR.
COSÚIL LENA ATHAIR, LUGH LÁMHFHADA.
A DHEIRFIÚIRÍN, A CHROÍ ...
IS CUMA CÉN DIA A CHEAPANN TÚ A GHIN É ...
... IS LINN FÉIN ANOIS É.
A MHAMA?
TÁ FAITÍOS AIR ROIMH AN DORCHADAS FÓS?

Is gearr go
dtiocfaidh deireadh
le ré na síochána.

Chuala mé a ghlór san oíche.
Cosúil le mac tíre. Ag glaoch.
Níl a fhios aige fós é ... ach is gearr go ndeanfaidh mé ga dorcha de.

Nach fíor dom é, a Shéadanda?
Mo lámh bheag dhearg.
Tá a fhios ag an mbeirt againn ...
... nach bhfuil tada sa dorchadas ...
... ach scáthanna.
Anseo!
MHAMA!
'SHÉADANDA?

CAD TÁ ORT, A MHAICÍN?
HUH?
CÁÁ!
NÁ...
CÁÁ!
... DÉAN!
'MHAMA?!
CA-CÁÁ!

CÁÁ!
CÁÁ!
AAAIGHE!!
PLAB!
CÁÁ!
PLAB!
BEIR AR AIS MO MHAC.
GLÉAS MO CHARBAD CATHA.

IAÁÁH!!!

Brú na Bóinne,
lios na Mór-Ríona.
Beidh tú i do chónaí
anseo feasta.

Céad míle fáilte ...
... arsa an damhán alla leis an míoltóigín.
TIOCFAD LEAT, A CHONCHÚIR.
FÁG FÚMSA É SEO, A FHEARGHAIS.
TÁ AN MÉID SIN DLITE DO MO DHEIRFIÚR.

CÉN GNÓ ATÁ AG AN MBANDIA LEIS AN BPÁISTE?
B'FHÉIDIR GUR I MO DHIAIDHSE ATÁ SÍ?
MAR GUR CHUIR MÉ SÍOCHÁIN I RÉIM.

SPLEAIS
...
TÁ SPIORAD NA HABHANN DÚISITHE AG NEACH ÉIGIN.
SPLEAIS

ÍÍÍÍÍÍÍÍÍÍ!!
EH!
KSSSH!
SPLEAIS!
BLUB

GREAD LEAT, A CHÚ UISCE!
KSSSH!
SPLEAIS!
NÍ LEATSA ATÁIM AG TROID.
TÁ DEAMHAN EILE AG FANACHT ORM.

Éist liom, a Shéadanda ...
Is tú an solas dubh a chaithfidh mo scáth ar an domhan.
Deir na seanóirí go bhfuil do chinniúint bainte amach agat. Is bréag é sin ...

Ní athraíonn daoine ... ach athróidh mise tusa.
Chun donais is chun oilc.
ÍAAAAH!
ÉIST LEIS ...
A DHEAMHAIN.
Níl neart agat ar an gcinniúint, a Chonchúir Rí ...
is ainmhí marfach an t-ógánach seo

IMIGH!
EH!
AAAIGHE!!
CRAIS!!
A SHÉADANDA, TÁ TÚ SLÁN ANOIS.
NÍ GHORTÓIDH SÍ ...
... ANOIS MUID.
A amadáin, tá an síol dorcha curtha ... agus feicfidh tú an rós dubh ag fás.

Éist ...
MHAMA?
A Shéadanda.
Fanfaidh mé ort.
A chú bhig an chogaidh.

DEICH MBLIANA EILE ...
CANAIGÍ AN T-AMHRÁN LIOM: BÍ MEAR, BÍ CRÓGA, BÍ LÁIDIR SA GHLEO!
MEAR
CRÓGA
LÁIDIR.
CÁ'L DO MHAMA, A PHEATA?
NÍL DEAIDE AR BITH AGAT, A BHASTAIRD!

TÁ SCÉALA ÉIGIN DÚINN AG LAOIRE ÓG.

HEH HEH!

Ní gá duit cur suas leis seo, a Shéadanda.

NÍLIM AG ÉISTEACHT LEATSA.

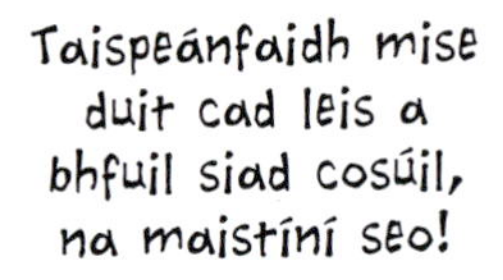
Taispeánfaidh mise duit cad leis a bhfuil siad cosúil, na maistíní seo!

FÉACHAIGÍ! TÁ AN PEATA AG LABHAIRT LEIS AN SPÉIR ARÍS!
AGUS TÁ SÉ AG CROITHEADH AR NÓS LINBH!
Féachaigí an fuath.
GAN MAMA
GAN DEAIDE
AAAAAUUUU!!!
LASC!

'SHÉADANDA!
AAAAH!!

ÉIRIGH AS!

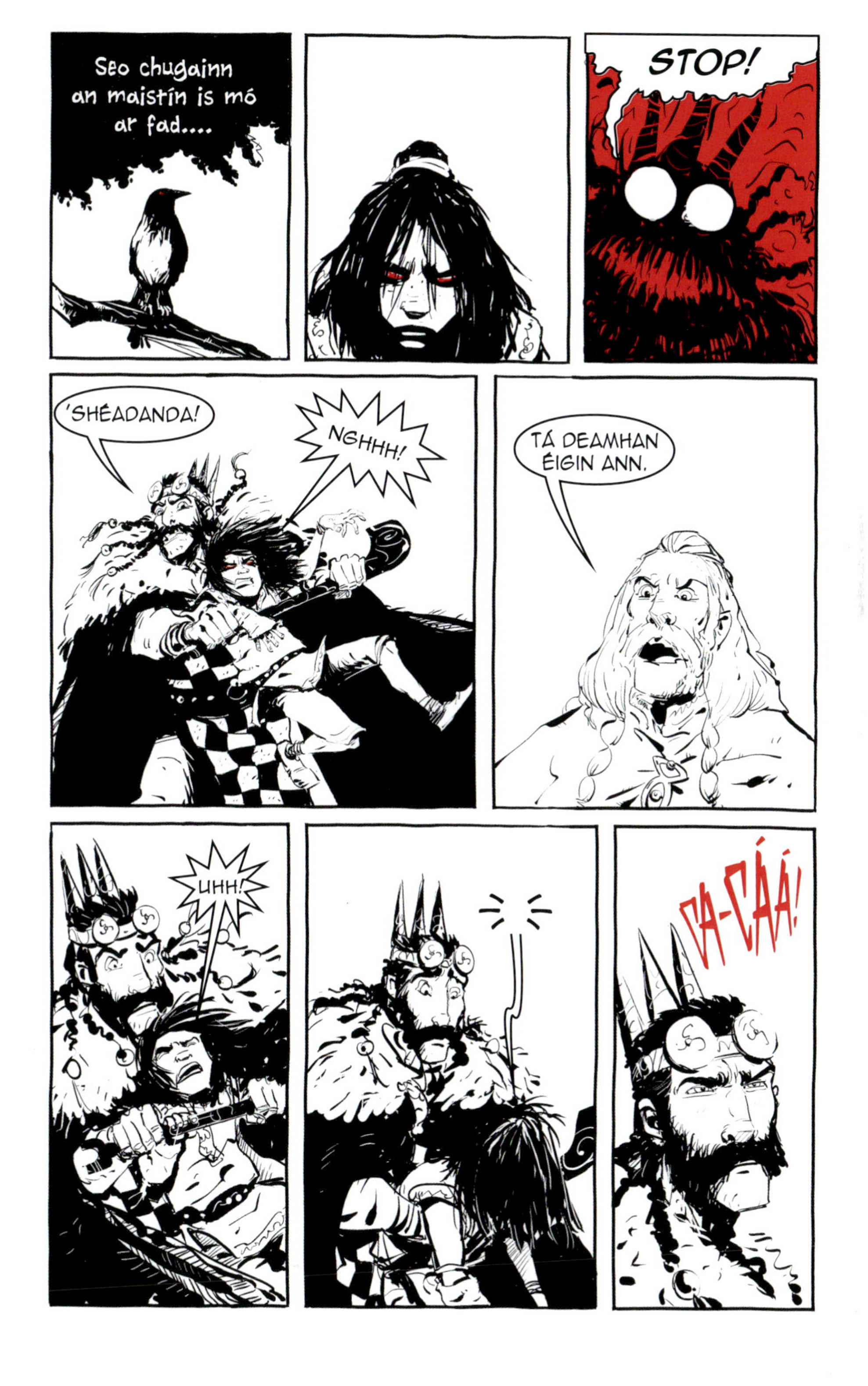
Seo chugainn an maistín is mó ar fad....
STOP!
'SHÉADANDA!
NGHHH!
TÁ DEAMHAN ÉIGIN ANN.
UHH!
CA-CÁÁ!

A SHÉADANDA, AN GCLOISEANN TÚ MÉ?
FAOBHAR ATÁ UAIDH SIÚD.
FEICIMIS AN BHFUIL BEOCHT ANN.
UHH
TÁ SÉ BEO.
AGUS É CHOMH CANTALACH LE MÁLA EASÓG.

AH!
CAD TÁ ORT?
TADA.
BHFUIL TÚ IN ANN SIÚL?
TÁ.
AR AIS AR SCOIL LEAT, MAR SIN, AGUS ABAIR LE CAFADH GO BHFUIL BRÓN ORT. LEAN MUID GO DTÍ AN CHEÁRTA SULA MBEIDH SÉ DORCHA.
DÉANFAIDH CULANN GABHA CLAÍOMH DO DHIONGBHÁLA DUIT.

AIDHE!
FÁG SEO!

IS COSÚIL GUR FEARR LEAT AN TROID NÁ AN TEAGASC. ACH TÁ NITHE FÓS LE FOGHLAIM AGAT.
CUIR CEIST ORM, AGUS GEALLAIM DUIT, DAR NA DÉITHE, GO DTABHARFAIDH MISE FREAGRA ORT.
CÉN MHAITH MHÓR A THARLÓIDH INNIU?

FÉACHAIMIS.
CAD A DÉARFAIDH NA CNÁMHA.
AHA?
BHUEL ... INIS DOM!

AN TÉ A DHOIRTFIDH FUIL DEN CHÉAD UAIR INNIU, BEIDH SÉ AR AN NGAISCÍOCH IS CLÚITÍ RIAMH.
MAIRFIDH A AINM GO DEO.
MISE.
ACH NÍ MHAIRFIDH SÉ I BHFAD.
IS CUMA LIOM MURA MAIRFIDH MÉ ACH LÁ IS OÍCHE, ACH GO MAIRFIDH MO CHÁIL I MO DHIAIDH.
AAAÚÚÚÚ!
'SHÉADANDA, TAR AR AIS!
NACH MÉ AN PLEIDHCE!
CAD ATÁ DÉANTA AGAM?!

TIGH CHULAINN....
A CHONCHÚIR.
MÍLE FÁILTE.

A GHABHA DHÍLIS.
A RÍ.

LANN IARAINN, AGUS DORNCHLA ÓIR.
ÓNÁR MIANAIGH AR SHLIABH SPEIRÍN.
GLEOITE.
'SPEÁIN.
LIOMSA É!
CLAÍOMH RÍ DO LÁMH AN RÍ, A FHEARGHAIS.
ITHIMIS.

POCC!

CA-CÁÁ!
AGUS TÁ AN LAOCH SA TSEILG ARÍS...
... AN BHFUIL ÉINNE A BHÉARFADH AIR?
HUP!
AR NÓS TÓIN BÓ A BHUALADH LE SLUASAID!
FONN SPRAOI ORT, A ÉINÍN?
CÁÁ!
CÁÁ!
CÁÁ!

... AGUS CAITHFIDH SÉ AN UBH AIRGID A BHUALADH SULA MBRISFEAR AR AN TALAMH Í!
TÁ TÚ A'M!
AN LÁ LEIS AN LAOCH ÓG ... ACH NÍ FHACA DUINE AR BITH É, MAR IS GNÁCH!
LASC!
Tá tú geal is gleoite, a Shéadanda..
An rós dubh. Bláth fiáin a gcabhróidh mise leat a fhás.

Táim ag fanacht le fada ar an lá seo, a Shéadanda.
Ná bíodh faitíos ort roimh an ngrá atá agam duit. Cuirfidh mise an loinnir ionat.
CÉ THÚ FÉIN?
Is mé an mháthair nach raibh riamh agat.
Ní ghortóidh mé thú.
MÁTHAIR?
ACH CAILLEADH MO MHAMA.
Cé a dúirt?!! Iad siúd nach ligfidh duit a bheith mar atá tú.
MAR ATÁ?
ACH TÁIM MAR ATÁ.

Níl tuairim agat cé
thú féin nó cé
a bheadh ionat.

CAD ATÁ ORT, A CHARÓG?
NÍL TÚ IN ANN BREITH AR SHLIOTAR!
POC!

NÍ FÉIDIR TÚ A SHARÚ, A CHULAINN.
NÍ HAMHÁIN GO NDÉANANN TÚ AN GA IS GÉIRE.
... IS AGAT A BHÍONN NA FÉASTAÍ IS FEARR.
TÁ TÚ RÓCHINEÁLTA, A RÍ.
'BHFUIL DO MHUINTIR AR FAD TAGTHA?
TÁ SIAD AR FAD ANSEO. CÉN FÁTH, A CHULAINN?

TÁ ÁRCHÚ MÓR AGAM A CHOSNAÍONN AN TEACH DOM. NUAIR A BHÍONN GACH DUINE SA TEACH, DÚNAIM AN DORAS AGUS SCAOILIM AN CÚ. MARÓIDH SÉ AON DUINE A THIOCFAIDH CHUIG AN TEACH SA DORCHADAS.

SCAOIL DO CHÚ, A CHULAINN.
COSNÓIDH SÉ MUID AR AN DORCHADAS.

CÁÁ!
HA! HA! HA!
GRRRRR!
SMÚR!
SMÚR!
SMÚR!

AMH!
AMH!
AMH!
AN É SIN A BHFUIL AR DO CHUMAS?
CAD TÁ AG TARLÚ AMUIGH ANSIN?
TÁ SÚIL AGAM GUR GADAÍ ATÁ ANN. PÉ RUD ATÁ ANN ...
... MARÓFAR É!
SÉADANDA!

GRRR!
SEO!

PÉ RUD A THUGTAR LE HITHE DUIT,
NÍ BHFAIGHIDH TÚ ANOCHT É.
DRANN!

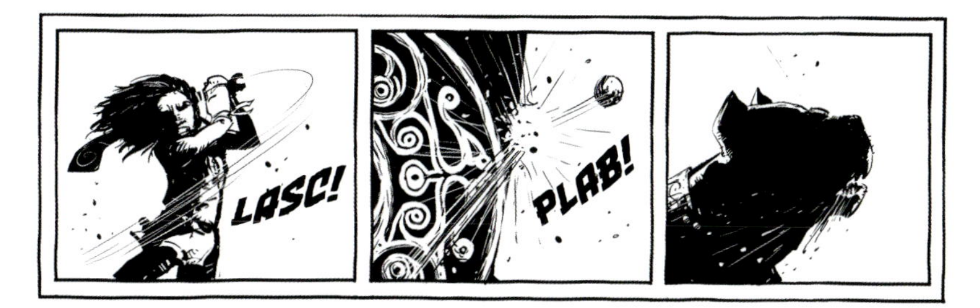
LASC!
PLAB!

TABHAIR ISTEACH AN MADRA.
NÍ FÉIDIR LIOM.
MISE IS CIONTACH AS SEO!
CAD IS FÉIDIR LIOM A DHÉANAMH?
AN DORAS A OSCAILT!
DÉAN É.
ANOIS!
CHUGAMSA, A GHAISCÍOCHA!

Oscail do shúile.
Féach an fuath ionam.
ARRRH!
CÁÁ!
CÁÁ!
CÁÁ!
CÁÁ!
RARRH!
TÁ FONN SPRAOI AR AN MADRA!

CÁÁ! CÁÁ!
RARRRH!
LASC!
AAAUÚÚ!

'SHÉADANDA!
NÍ FÉIDIR!
CÁÁ!

CÉ A CHOSNÓIDH MO THEAGHLACH ANOIS?
BHFUIL FREAGRA AGAT AIR SIN, A RÍ?
BEIDH MISE ...
... I MO CHÚ AGAT.

CAD É SIN?
COMHARTHA!

FEICEANN TUSA COMHARTHAÍ I NGACH ÁIT.
A CHOILEÁIN BHRÉIN!
NÁ DÉAN, A CHULAINN.
TABHARFAR CÚ CHULAINN AIR FEASTA.
ACH IS MISE SÉADANDA!
CÚ CHULAINN!
CÚ CHULAINN!
CÚ CHULAINN!

CÚ CHULAINN
CÚ CHULAINN
NÍL ANN ACH ...
PÁISTE!
MÁS FÉIDIR LEIS OLLCHÚ A MHARÚ ...
... NÍ BHEIDH AON GHAISCÍOCH CHOMH MAITH LEIS NUAIR A BHEIDH SÉ FÁSTA.
FEICFIDH TÚ FÓS, A FHEARGHAIS.
FEICFIMID.
CÚ CHULAINN!
IN AIRDE LEAT, A CHÚ BHIG!
A CHULAINN ...
DÉAN CAMÁN DO DO CHÚ – NACH MBRISFIDH!

CÚ CHULAINN!
CÚ CHULAINN!
NÁ BÍODH IMNÍ ORT, A CHULAINN. GHEOBHAIDH TÚ CÚ IN ÁIT AN CHÚ ATÁ CAILLTE AGAT.
CÁÁ!
CÁÁ!
AGUS DÚN DO GHOB, THUSA!

DEICH MBLIANA EILE ...
BHUR GCÉAD FÁILTE GO HEAMHAIN MHACHA.

LÁ MÓR É SEO D'ULTAIGH, AGUS MUID CRUINNITHE ANSEO AR MO BHAINIS.
AGUS I GCEILIÚRADH AR AN LÁ TÁ CUIREADH TUGTHA AGAM DAOIBH AR FAD.
CUIRIMIS FÁILTE MHÓR ROIMH...
... MHÉABH, BANRÍON CHRUACHAN CHONNACHT.
AILILL, RÍ CHONNACHT.
CALAITÍN ASARLAÍ.
SA CHLOGAD SCIATHÁNACH ...
NAD CHRANDAIL ÓN MBREATAIN BHEAG.

AGUS ANOIS, NA COMÓRTAIS.
AN TÉ A GHNÓFAIDH BEIDH AN CHÉAD CHUID DEN FHEOIL AIGE. AN CHURADHMHÍR!
DORRRD!
LAIGHIN ABÚ
CRUACHAIN!
AN MHUMHAIN ABÚ!
TEAMHAIR!
EAMHAIN!!
CRUACHAIN!
AGUS NÍL DE DHUAIS AIGE DÚINN
ACH SPÓLA FEOLA!!!

BEIDH ONÓIR ANN DON BHUAITEOIR.
BHUEL, A NAD CHRANDAIL?
TÁ CONCHÚR SOTALACH. TÁ A RÍOCHT LAG.
IS FEARR LEO CLUICHÍ NÁ COGADH.
AN GCUIRFIDH TÚ SUAS LEIS AN MASLA SEO?
RUD ÉIGIN LE RÁ AGATSA, A CHRÁIN?
EAMHAIN MHACHA!
TARRAING AIR!!

CRAIC!
BUAIL É!
MARÓIDH MÉ THÚ, A ULTAIGH!
LASC!
A CHÚ CHULAINN?
ANSEO.
GABH AMACH AGUS DÉAN GAISCE.
ACH TÁ'S AGAT CAD A THARLÓIDH!
BEIDH AN BUA AGAINN.

GO BEO!
MARÓFAR DAOINE.
A FHEARDIA?
A MHÉABH?
TÁ SÉ IN AM.

CÉ HÉ SIN?
É SIN? CÚ!
ANOIS BEIDH IMIRT ANN.
POC!

An gcloiseann tú mé, a Shéadanda?
NÍL TÚ RÓDHONA!
ACH NÍL TÚ SÁCH MAITH!
Maraigh é!
AH!

Cad atá ar siúl agat?
Tá an bua uait, nach bhfuil?
AR MO SHLÍ FÉIN.
POC!
LASC!
TÁ AN BUA AGAINNE!
NÍL SÉ SIN CÓIR!

AN CÚ!
AN CÚ!
BHÍ AN BUA TUILLTE AIGE.
AN CÚ!
AN CÚ!
A CHAIRDE, TÁ BUAITEOIR AGAINN!
AN CÚ!
AN CÚ!
CÚ CHULAINN!
CÚ CHULAINN!

FEALLAIRE!
TÁ AN CEART AG AN ASARLAÍ!
SEAFÓID!
HEH?
CHONAIC SIBH AR FAD É AG TABHAIRT LÉIM AN BHRADÁIN, NACH BHFACA?
MÁ CHONAIC FÉIN?
NÍL SIN CEADAITHE.
TÁIMID AG TEACHT ANSEO LE FICHE BLIAIN AG BREATHNÚ ORAIBH AG ITHE IS AG ÓL IS AG SPRAOI LE BHUR GCUID LIATHRÓIDÍ. SIN DEIREADH LEIS!
TRIOBLÓID.

MO NÁIRE THÚ, A CHONCHÚIR
NÍ BHEIDH NA DÉITHE SÁSTA LEIS SEO!
MUAAAAARRRH!
SRANN

ÉIST! DÉANFAR ÍOBAIRT DO NA DÉITHE!
PLEIDHCE MÓR!
SRANN
GAIRIM AN MHÓR-RÍON.
DÉANAIMID ACHAINÍ ORT.
UM!
UM!
ÉISTIGÍ LINN, A DHÉITHE!
DOIRTFIMID FUIL AN TAIRBH MHÓIR SEO DUIT, IONAS GO BHFÁGFAIDH TÚ MUID FAOI SHÍOCHÁIN.

UM!
NÍL AN BANDIA CHOMH BEAGINTINNEACH SIN!
NÍ LEIS NA HULTAIGH AMHÁIN AN MHÓR-RÍON.
TUGANN SÍ FABHAR DÓIBH SIÚD A CHUIREANN AR A SON FÉIN. NÍ BHEIDH SÍ SÁSTA LE HÍOBAIRTÍ ... MAIRTEOLA!
NRRH!
HRRRHH!
UH!
DOIRTFEAR A CHUID FOLA AR ÁR SON.

MUAH!
NÁ DÉAN!
NACH FÉIDIR AN MHÓR-RÍON A SHÁSAMH AR SHLÍ ÉIGIN EILE?

TÁ NÍOS FEARR NÁ SEO TUILLTE AG AN MBEITHÍOCH BREÁ SEO.
MÁ TÁ TÓIR CHOMH MÓR AGAINN AR ÓR, BEIDH MEAS AG AN MÓR-RÍON AIR SIN.
TÁ AN CEART AG CÚ CHULAINN, NÍ AINMHITHE ALLTA MUID. ADHRAIMIS Í MAR IS CUÍ.
DON MHÓR-RÍON.
GO DTUGA SÍ CLUAS DÚINN.
AN T-ÓR SIN AR FAD Á CHAITHEAMH SA LOCH!!!
NA HAMADÁIN. CEAPANN SIAD GO SÁSÓDH CÚPLA FÁINNE ÓIR AN MHÓR-RÍON!

UM!
UM!
UM!
UM!
SPLEAIS!
SPLEAIS!
SPLEAIS!
AR A LAGHAD TÁ'S AGAINN CÁ BHFUIL ÓR NA nULTACH ANOIS.
MFFH!
MAITH THÚ.
D'IMIR TÚ GO MAITH.
FEARDIA ATÁ ORM.

IS MISE ...
CÚ CHULAINN!
SIN É A THUGANN SIAD ORM.
B'IN ÉACHT A RINNE TÚ THIAR ANSIN!
LÉIM AN BHRADÁIN?
CAITHFIDH TÚ É A MHÚINEADH DOM.
LÁ ...
ÉIGIN.
CHUIR TÚ FIOS ORM?
TÁ OBAIR AGAM DUIT.

SA BHAILE ARÍS!
DÚN FHORGAILL.
AMH!
AMH!
HSSSSSS!
ANSEO ATÁ BRÍDEOG AN RÍ?
TÁ MO RÍON BHEAG AG FANACHT ORT.
A EIMHEAR! CHUIR AN RÍ FIOS ORT!

TÁ SÉ TANAÍ, NACH BHFUIL?
IS MAITH LÉI THÚ.
AN ANSIN ATÁ AN TARBH?
TUGAIMIS AM D'EIMHEAR.

OÍCHE....
STOP. TÁ TUIRSE ORM.
NÍL MÓRÁN LE RÁ AGAT!
TÁIM PRÉACHTA.

?
NÍ HÉ DO BHRAT ATÁ UAIM, ACH BIA! TINE!
AGUS MO LEABA.
NÍ BHÍONN AMUIGH SAN OÍCHE ...
... ACH MADRAÍ IS MIC TÍRE!
GRRR!
TÁ CAINT AIGE!

NNNNHH!
HUP!
AAH!
A PHLEOTA!
TÁ CROMLEAC I NGAR DÚINN.
RACHAIMID AR FOSCADH ANN.

REOITE.
TÁIM STROMPTHA.
NÍ ITHIM FIA.
TÁ PEATA FIA AGAM.
STOP MÉ NUAIR A D'IARR TÚ ORM.

BHÍ TÚ FUAR, LAS MÉ TINE.
BHÍ OCRAS ORT, THUG MÉ BIA CHUGAT.
SNAG
SNAG
SNAG
NÁ BÍ AG GOL.
NÍL TAITHÍ AGAT AR MHNÁ, IS LÉIR!
TÁIM TÓGTHA Ó MO BHAILE AGAT, CHUN MÉ A PHÓSADH LE FEAR ATÁ NÍOS SINE NÁ M'ATHAIR ...
FEAR NACH BHFACA MÉ RIAMH.
IS É AN RÍ É.
DÉANAIM MAR A IARRANN SÉ.

D'FHÉADFÁ DUL CHUIG AN RÍ AGUS A RÁ LEIS GUR CAILLEADH MÉ LEIS AN BHFUACHT?
NÁ BÍ AG MAGADH FÚM! IS MISE CÚ CHULAINN. NÍL IONATSA ACH BEAN.
MUISE, NÍL IONAT ACH COILEÁN!
AGUS COILEÁN GAN MHÚINEADH, IS LÉIR.
RRRRRR!
CAD...?
ÉISSSST!
CAD É FÉIN?
SEO! COINNIGH UAIT IAD LEIS SIN....

CÉ HIAD?
IAD SIN!
RAHR!!
RAHHHR!!
UHH!

OCH!
GRRRRRR!
RARRRH!!
AAAAÚÚÚÚÚÚ!!
UH!

SHÁBHAIL TÚ MÉ.
SIN É A DHÉANAIM.
HEAH?
IS MÉ AN CÚ COSANTA.
NÍ PHÓSFAIDH MÉ AN RÍ.
IMÍMIS.
ABAIR LIOM AR DTÚS ...
AR MHARAIGH TÚ CÚ NA CEÁRTA?
CÚ? DEAMHAN NA CEÁRTA!

EAMHAIN MHACHA ...
BHUR GCÉAD FÁILTE.
FÁILTE MO THÓIN!
ÉISTIMIS LEIS AN GCEOL.
NÁR BHREÁ AN MHÉAR SIN A SHÁ FAOINA SHÚIL!
DUNH! DUNH!

A CHONCHÚIR, NÍL AN CÚ NÁ AN CAILÍN TAGTHA AR AIS FÓS.
NÍ BAOL DÓIBH, A FHEARGHAIS.
DUN
DUN
DUN
DUN
DUN
TUN
DUN
DUN
DUN
DUN
TUN

ÉÉÉÉ!
GO RÉIDH ...
KSSSS!
A FHIR BHIG!
CAD SA DIABHAL É SIN?
NACH MÓR AN FEAR É SIN AGAT, A MHÉABH?
D'FHÉADFÁ A RÁ!!!

AN BHFUIL AN FEAR MÓR IN ANN TROID?
NÍ CUÍ SIN DON RÍ, A CHONCHÚIR.
PÓSFAIDH MÉ BEAN ÓG ANOCHT.
FEICFIMID AN BHFUIL AN BODACH MÓR IN ANN AG FEAR!
AN SEAN-AMADÁN!
HUP!
FEARDIA?

ACH ...
NACH DTIOCFAIDH TÚ ISTEACH?
NÍ GÁ DUIT IMEACHT.
IS GÁ.
AN BHFEICFIDH MÉ ARÍS THÚ?
AR FEADH DO SHAOIL.
AR DHEASLÁMH CHONCHÚIR.

COINNIGH ORT.
CUIR A INCHINN AMACH.
ITHIM DO LEITHÉIDÍ ROIMH BHRICFEASTA, A MHIC!
AAAAAA!!
UH!

ÚF!
GÉILL!
NNNH!
GÉILLIM.
TÁ AER UAIM.

HA!
HA!
HA!

HA!
HA!
HA!

HA!
HA!
HA!

NÍ CHREIDIM NACH RAIBH TÚ LE BEAN ...
RIAMH.
TÁIM PÓSTA LE MO CHLAÍOMH.
NÍ MAITH LE MNÁ MÉ.
AGUS FIR?
NÍLIM AR AN GCAOI SIN.
NÍL TADA MÍCHEART LEIS.

AN DTAITNÍMSE LEAT?
NÍL SÉ CEADAITHE.
AN BHFUIL TÚ MÓR LIOM?
FREAGAIR AN CHEIST.
TÁ.
INIS DOM AN MÉID SEO ...
CÉN GRÁ A BHEIDH AGAM DO CHONCHÚR NUAIR A FHEICFIDH MÉ TUSA?

NA FREAGAIR
É SIN!
A FHEARA!
GABHAIGÍ
AN CÚ!
GO
RÉIDH!

TÓG É, A DEIRIM!
FANAIGÍ SIAR.
A CHONCHÚIR, B'FHÉIDIR GUR FEARR ...
... É A CHUR GO SCÁTHACH.
CUIRFIDH AN BANGHAISCÍOCH MÚINEADH AIR.
A CHÚ CHULAINN, DÍBRÍM GO HALBAIN THÚ.

GREAD LEAT!
A CHONCHÚIR?
AGUS MAIDIR LÉI SIÚD...
CUIRIM FAOI MO CHOIMIRCE Í.
BÍ IMITHE ROIMH MHAIDIN.

A FHORGAILL, BEIR LEAT D'INÍON.
A CHONCHÚIR ?!
NÁ FEICIM ARÍS Í.
FANFAIDH MÉ ORT.
BEIDH MÉ AR AIS.
CAITH É SEO I GCUIMHNE ORMSA.

RACHAIMID ABHAILE, A DHEAIDE.
'EIMHEAR
FAN!
FÉADFAIMID TEACHT I DTÍR ...
AR DHEACRACHTAÍ CHONCHÚIR.

CLOCHÁN AN AIFIR....

CA
CÁÁ!
CÚ
CÚ
Nó ...
a Shéadanda?
TÁ M'AINM AR EOLAS AGAT?
Bhí d'ainm riamh agam.

Ní chaithfidh
tú imeacht.
Bhfuil tart ort?

SHLOK
ÓL É.
CAITHFIDH MÉ IMEACHT.
Nuair a fhágfaidh tú an tír seo beidh tú asat féin, gan treoraí.
GO MAITH.

Fanfaidh mé ort.
DAR NA DÉITHE, TÁ SÚIL AGAM NACH BHFEICFIDH MÉ ARÍS THÚ!
Bí cúramach nó tabharfar do mhian duit, a Shéadanda.

CÓSTA NA HALBAN....
GAINEAMH MALLAITHE!
TÁ RUD ÉIGIN SAN FHEAMAINN!

AAAIGHE!
UH!
LASC!
GREAD LEAT AS SEO!
SKITT!!
ZSITHH!
SSSS!
SNITH!
ZZSH!!

UH!
DÚISIGH.
DÚIRT TÚ GO BHFÁGFA ASAM FÉIN MÉ!
IS FADA Ó BHAILE THÚ, A ULTAIGH.
AN TÚ SCÁTHACH?
AN SEANCHRAIN BHRÉAN MÉ ?!
WOOH!
IS MÉ PÚCA AN RIASCA.

SNITT
SSSSS!

OOOOOOORAAA!

AAA!
PLIMP!

ÚÚF!
AAA!
PLIMP!

CAD SA...?

FAINIC THÚ FÉIN!
ÚÚÚÚÚU!
FAN GLAN ORAINN, A ULTAIGH!

LEAN MISE AGUS TIOCFAIDH TÚ SLÁN.
IS GEARR GO MBEIDH SIAD AR AIS.
MÚCH NA TÓIRSÍ SAN UISCE.
PSSSSSS!
CEANGAIL DE DO CHOSA IAD. LE SIÚL AR AN NGAINEAMH.
BROSTAIGH.

CAD IS AINM DUIT?
CÚ...
CUACH?
CÚ CHULAINN.
CUACHÍN?
AGUS CÁ'L DO THRIALL?
GO DTÍ AN tOILEÁN SCITHEANACH LE HOILIÚINT A FHÁIL Ó SCÁTHACH.

SHÍL MÉ GO MBEADH DO DHÓTHAIN DE NA BANGHAISCÍGH AGAT FAOI SEO.
BA BHEAG NÁR BHÁSAIGH MÉ THIAR ANSIN. NÍ RAIBH MÉ SÁCH MAITH.
FEABHSAIGH,
NÍ BHEIDH MISE IN ANN THÚ A CHOSAINT AR ÉABHA I GCÓNAÍ!
ÉABHA?
Í FÉIN AGUS FUÍLLEACH NA RÓMHÁNACH!
... ACH SIN SCÉAL EILE.
TÁ SÚIL AGAM GO BHFUIL FONN SIÚIL ORT.

AN T-OILEÁN
FÁGFAIDH MÉ ANSEO THÚ.
NÍ THABHARFAIDH NA SEANCHNÁMHA SEO THAR AN SRUTH SIN MÉ.

FÁGAIM SLÁN AGAT.
BÍ AIREACH, A CHUACH BHEAG.

CAITHFIDH TÚ AN SRUTH MARFACH A THRASNÚ LE DUL ANN.
GO N-ÉIRÍ LEAT!
TÁIM BUÍOCH DÍOT ...
HUH?
IS GEARR GUR AG GOL A BHEIDH MÉ!
... AS DO CHÚNAMH AR FAD.
BEIR PÓG UAIM CHUIG SCÁTHACH.
MÁS BEO THÚ!

GEALT!
ACH THUG SÉ ANSEO MÉ.
CÉN CHAOI A NGABHFAIDH MÉ ANSIN?
?!
UH!
BLOSC!!!
CNAG!
AAA!
SSSSSSSIÚ!

AAAAAAA!
SPLERIS!
ÚF!

NNNNNHHH!
¡AAAÚ!
SPLEAIS!
NGGGA!
FSSSSH!

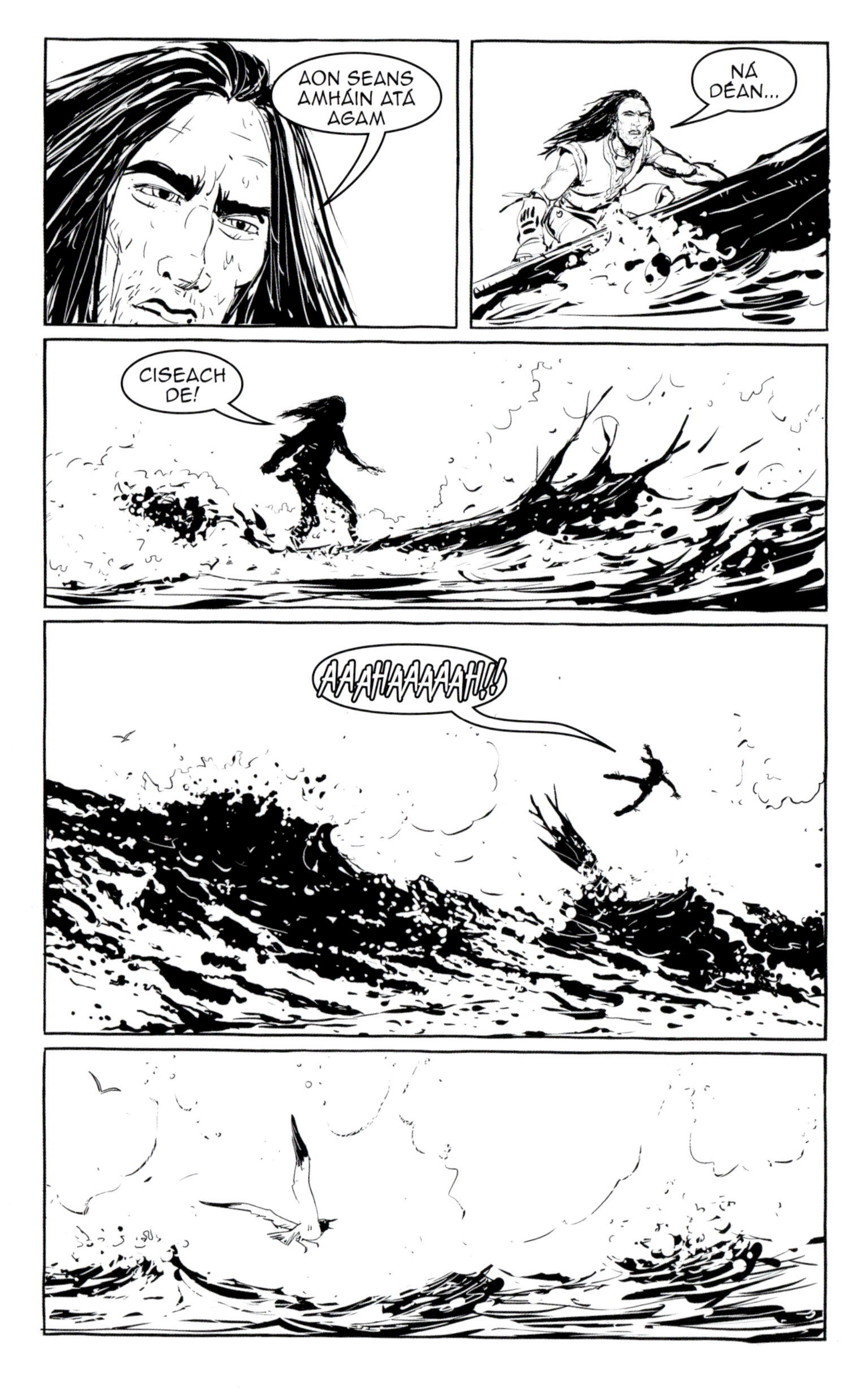
AON SEANS AMHÁIN ATÁ AGAM
NÁ DÉAN...
CISEACH DE!
AAAHAAAAAH!!

HA!
HA!
HA!
HEH!
HEH!
HEH!
HEH!
HEH!
HEH!
HA!
HA!
CÚÚ!
HUH?
CÚÚ!
CÚÚ!

CÚÚ!
CÚÚ!
CÚÚ!
NÍ THABHARFADH LÉIM AN BHRADÁIN FIÚ ANSIN MÉ.
CÚÚ!
CÚÚ!
CÚÚ!
CÚÚ!

CÚÚ!
CÚÚ!
CÚÚ!
CÚÚ!
UH!
CÚÚ!

CÚP!
CLOISIM THÚ!!!

IN ÉIRINN....
SÉAD...
AND...
...AAAAAA!!!

CÚÚ!
CÚÚ!

FEAR!
DIA!
FEAR!
DIA!
FEAR!
DIA!
FEAR!
DIA!

FEAR!
NÍ FÉIDIR!
DIA!
FEARDIA!
FEARDIA

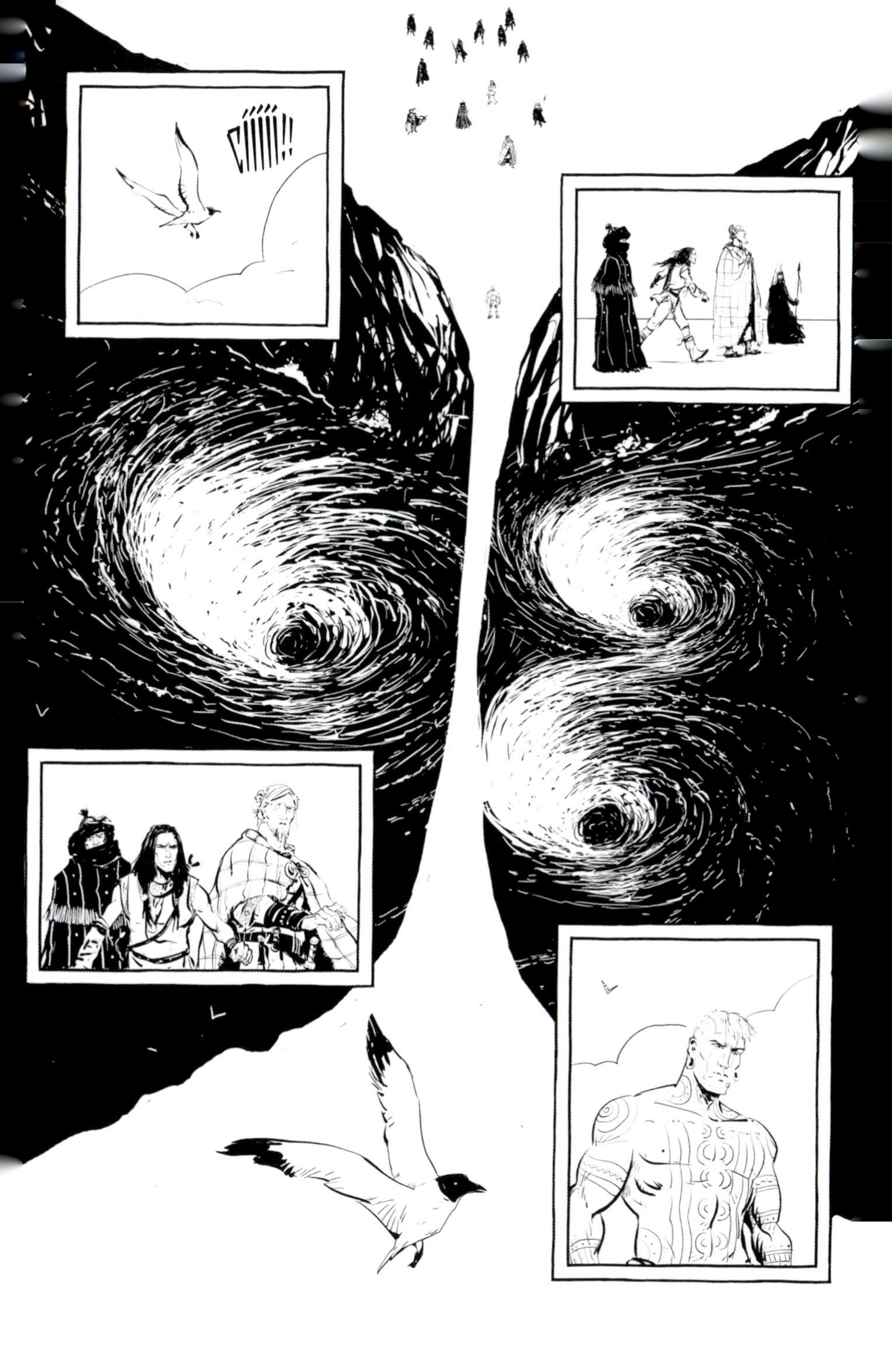
CÍÍÍÍÍ!!

CAD ATÁ AR SIÚL ANSEO?
ANOIS.
HUP!
TÁ TÚ AGAM!
HUH?
'BHASTAIRD CHLOICHE!
TOIRM!

FEARDIA?
CRAIC!
AH!
UF!

UH.
IS TÚ ATÁ ANN
A PHLEOTA!
IS CARA LEAT É SEO?
'CHÚ?
CÉ...?

CAD A BHÍ ANSIN?
DROICHEAD NA nDALTAÍ.
AN TSLÍ GO DTÍ AN TOILEÁN SCITHEANACH.
TÁ CUMA ÉASCA AIR.
TÁ....

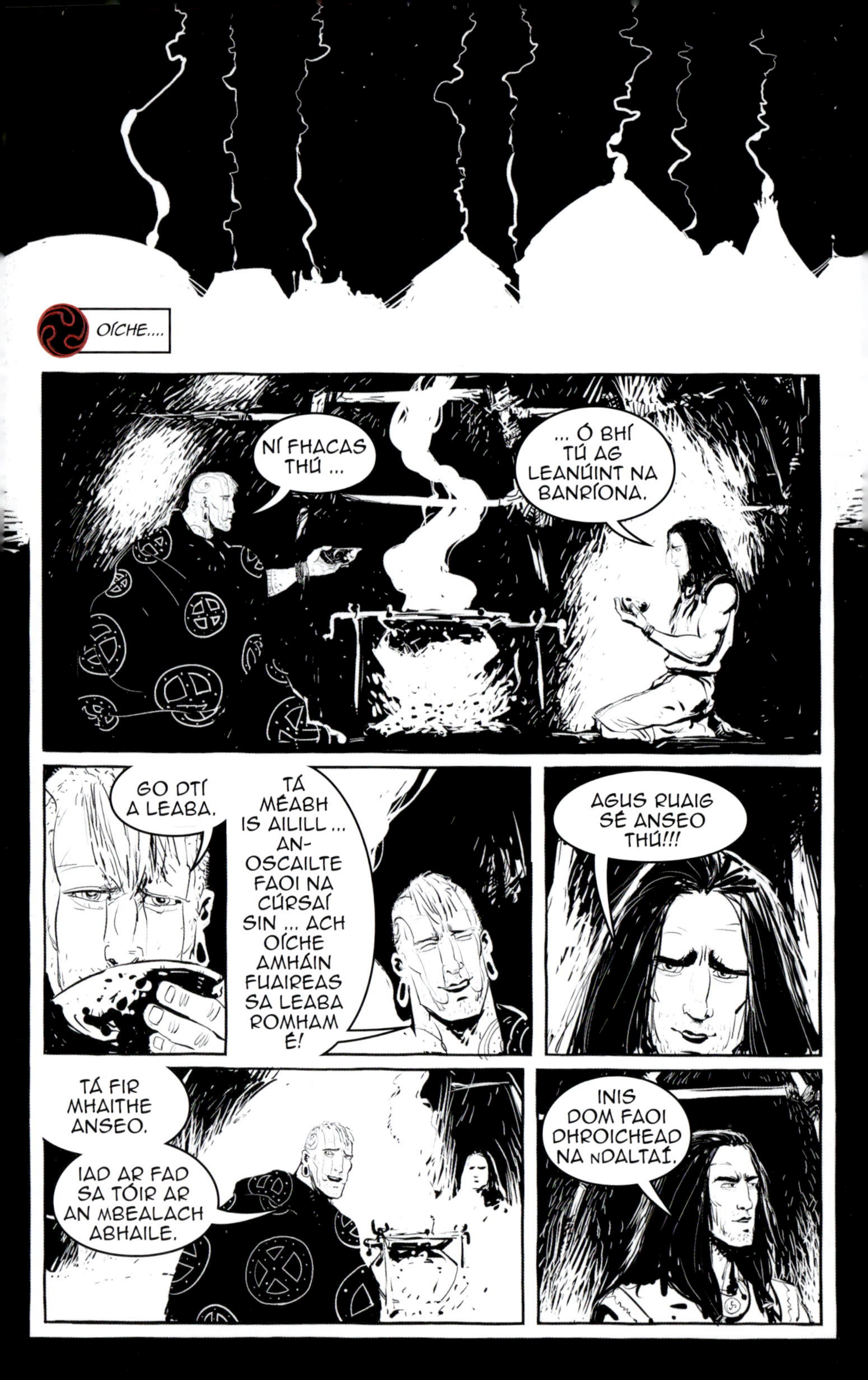
OÍCHE....
NÍ FHACAS THÚ ...
... Ó BHÍ TÚ AG LEANÚINT NA BANRÍONA.
GO DTÍ A LEABA.
TÁ MÉABH IS AILILL ... AN-OSCAILTE FAOI NA CÚRSAÍ SIN ... ACH OÍCHE AMHÁIN FUAIREAS SA LEABA ROMHAM É!
AGUS RUAIG SÉ ANSEO THÚ!!!
TÁ FIR MHAITHE ANSEO.
IAD AR FAD SA TÓIR AR AN MBEALACH ABHAILE.
INIS DOM FAOI DHROICHEAD NA nDALTAÍ.

CLOCH BHEO.
SEAS UIRTHI AGUS CAITHFIDH SÍ I BHFARRAIGE THÚ.
BHÍ AN T-ÁDH LIOM.
NACH LÉIMFEÁ THAIRIS?
NÍL LÉIM AN BHRADÁIN AGAINN AR FAD!
AGUS MÁ ÉIRÍONN LEAT É A THRASNÚ, CAITHFIDH TÚ TEACHT AR SCÁTHACH, AGUS ...
... IALLACH A CHUR UIRTHI THÚ A THEAGASC.

TEASTÓIDH SÉ SEO UAIT.
TRÍ SHEANS ATÁ AGAT. THEIP ORMSA FAOI DHÓ.
CÉN UAIR?
AR MAIDIN

MAIDIN NUA ...
SEANS NUA!
ANOIS!
SPARTA A ...
... BÚÚÚ ...
... ÚÚÚ!

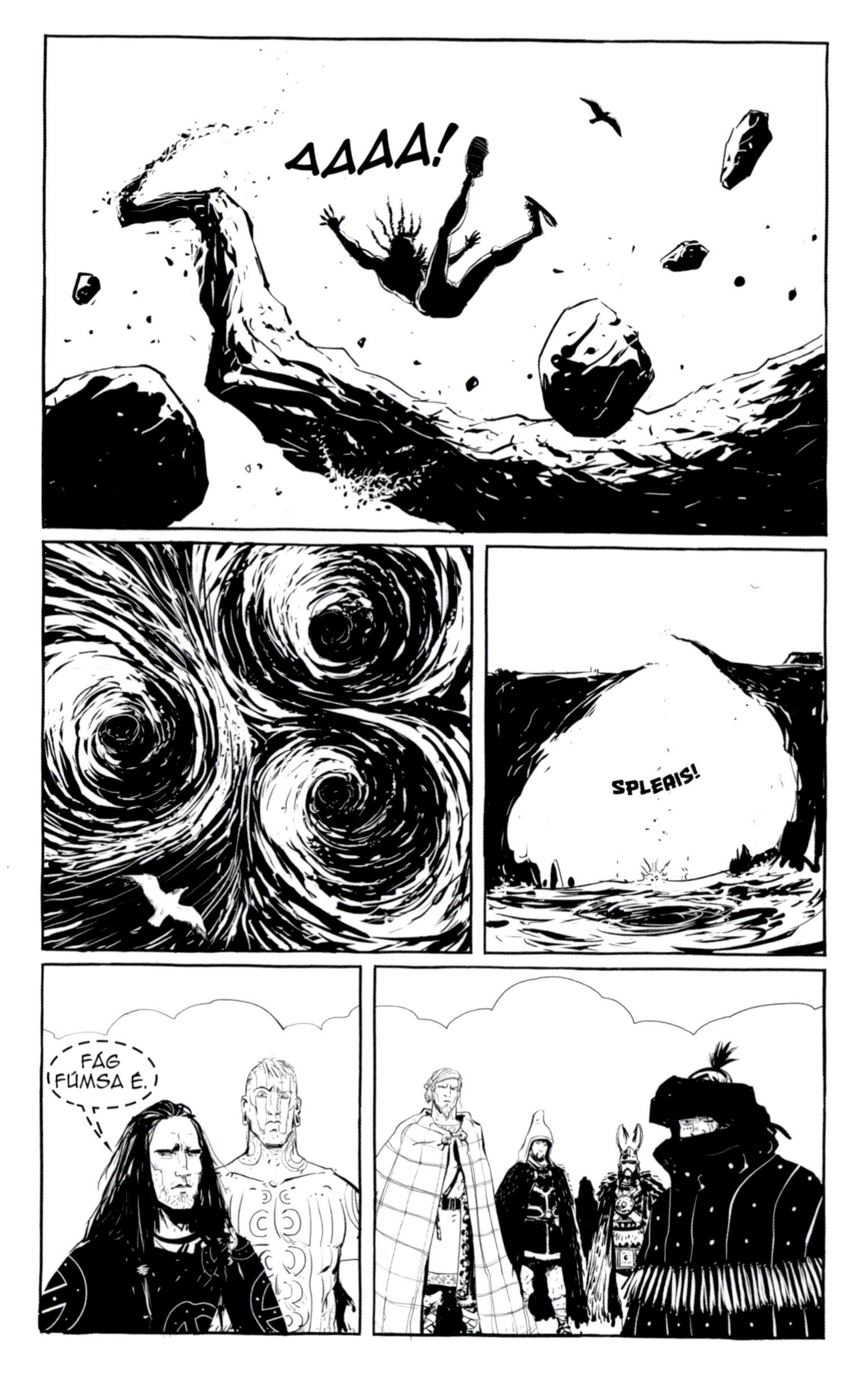
AAAA!
SPLEAIS!
FÁG FÚMSA É.

ACH...?
FAN SA LÍNE, A CHÚ!
DÉAN DEIFIR!
NÍ SHEASAIMSE I LÍNE!
FÁG AN BEALACH, A MHADRA!
A CHÚ!

AMH!
AMH!

PLIMP!
ÉASCA, A CHÚ?
CRAICCC!

NÍL CEAD ...
NÍOR FHAN SÉ SA LÍNE!
CRRAICC!

CÉ HÉ FÉIN?
AN CÚ!
MÍMHÚINTE!
CRAAAIC!
AAAA!
ÚÚÚ!

UH!
NGNN!
NÍL UAIT ACH ...
SPRAOI!
HA!
HUH?

ÁÚÚ!
GRRR!
FAN.
LE DO THOIL.
ARÍS.

GO MAITH.
NÍL CEAD!
STOP!
LIOMSA AN LÉIM SEO!
NÍL CEAD AGAT....
NACH BHFUIL ANOIS!

ÚÚÚ!
ÚÚÚÚÚÚÚ!

AAAAAAAÚÚÚÚ!!

NGNN!
PLIMP!
TÁ FONN SPRAOI ORT, A CHAILÍN BHIG?
NÍLIM BEAG!
GO MAITH!
CÁ'L SCÁTHACH?

SCAOIL LÉI!
NÓ MARÓFAR THÚ!
INIS DOM CÁ BHFUIL SÍ!
SA DÚN.

SEAS SIAR.
ANOIS!
GRRR!
CLING!
CLEAING!

AH!
CLING!
HNNH!
CLEAING!
UH!

CLING!

CAD É AN TORANN SIN?
CREAIS!
CÉ AGAIBH SCÁTHACH?

SEAS SIAR.
SCAOIL CHUGAM É.
DÉARFAIDH MÉ ARÍS É ... CÉ AGAIBH SCÁTHACH?
CÉ THUSA?
CÚ CHULAINN, LAOCH NA HÉIREANN
CÉ...?

LÁMH DHEARG NA NULTACH.
LÁMH DHEARG?
AN AG SPRAOI LEAT FÉIN A BHÍ TÚ?
NÁ DÉAN BEAG DÍOM.
CÚ? NÍ CUMA AN CHÚ ATA ORT!

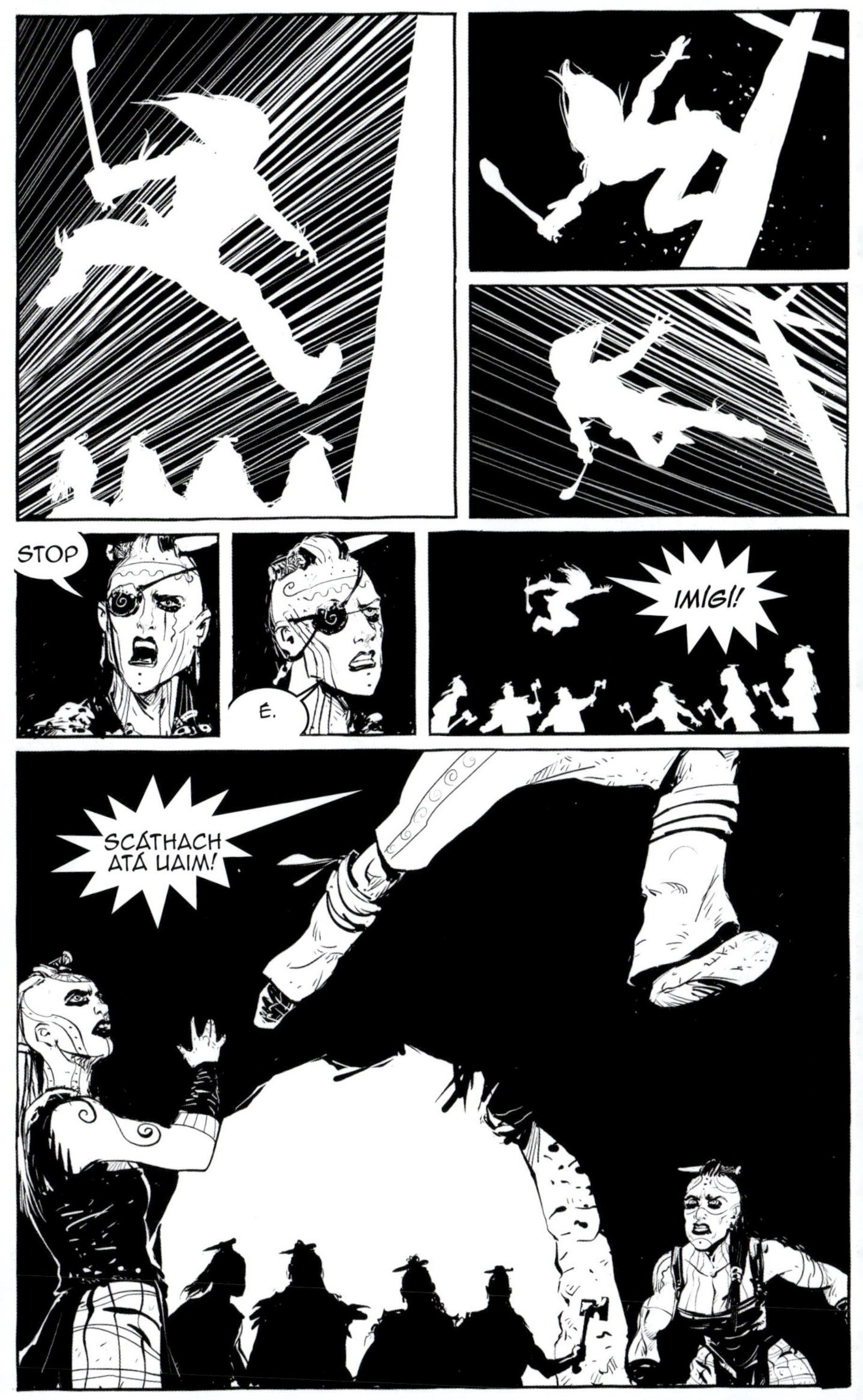
STOP
É.
IMÍGÍ!
SCÁTHACH
ATÁ UAIM!

ÚF!
CAITHFIDH TÚ MÉ A THEAGASC.
MAITH GO LEOR.

AGUS CÉ GUR BREÁ LIOM FEAR ÓG OS MO CHIONN ... CAITHFIDH MÉ ÉIRÍ!
LASC!

ANOIS! AN TÚ CÚ CHULAINN MÓR?
TÁ NITHE LE FOGHLAIM AGAT...
... A CHÚAIN!
AR LEAN ...